À la découverte de la maison de Dieu

Un petit guide pour découvrir l'église

Souvent on voit les églises de loin. Dans beaucoup de villages et de villes elles sont plus hautes que les autres maisons.

Les hommes qui ont bâti les églises voulaient pour Dieu la plus belle et la plus grande maison.

Les églises que l'on construit aujourd'hui n'ont plus une si grande tour. Elles sont plutôt placées entre les maisons de la ville. Car Dieu vit au milieu de nous.

Quelque part dans le mur on a placé la première pierre. L'année de la construction y est inscrite. Parfois on peut lire les lettres A. et D., cela signifie Anno Domini, c'est-à-dire « en l'année du Seigneur. »

Les églises sont très différentes des autres maisons. Ce qui frappe en premier c'est le clocher. Aucun clocher ne ressemble à un autre.

Des tours en flèche, des tours plates, des tours à bulbe d'oignon appelées ainsi parce qu'elles ressemblent à un oignon. Les tours sont construites selon la mode et aussi selon l'argent que l'on a pour la construction.

A la pointe de la tour s'élève une croix. Elle doit être vue de très loin. Parfois on y trouve aussi un coq.

Il s'agit d'une girouette en forme de coq, car elle se tourne sous l'action du vent et indique d'où vient le vent.
Mais en réalité le coq est un ancien symbole chrétien signifiant la vigilance et le courage. Ce symbole doit nous rappeler que nous sommes baptisés et appelés chrétiens.

Des cloches sont suspendues dans les clochers, des petites et des grandes.
Elles sonnent à beaucoup d'occasions :

tristement pour l'enterrement,

joyeusement pour le mariage,

solennellement pour la messe

et le baptême.

On pourrait dire que les cloches appellent.

Souvent les cloches ont même un nom, un nom de saint. Le nom est fondu dans la cloche et accompagné d'une dédicace.

Voici un exemple d'inscription. Elle est écrite en latin et signifie : « Fondue en l'année 1885, destinée à la gloire du Très-Haut, je m'appelle Regina. »

Les portes de l'église sont grandes. On les appelle aussi portails. À travers elles on entre dans la maison de Dieu. Certaines racontent des épisodes de la Bible, l'histoire de Dieu et des hommes.

Voici un portail avec de puissantes têtes de lion. Les lions sont des gardiens redoutables. C'est pourquoi leur image décore souvent l'entrée des églises et des sanctuaires.

Dans l'église tout est calme et il fait frais. Aux jours de fêtes, on sent une odeur de cierge et d'encens. Parfois l'église est sombre. Les fenêtres sont faites de beaucoup de couleurs et ne laissent entrer que peu de lumière.

Mais quand le soleil éclaire les vitraux, toute l'église devient lumineuse. Ces fenêtres peuvent aussi raconter des histoires de la Bible. Elles sont comme un livre d'images pour petits et grands.

Regarde bien cette fenêtre.

Elle est composée d'une multitude de petites vitres colorées. Cela a demandé beaucoup de travail pour transformer cette image de la vie au paradis en vitrail.

Beaucoup d'églises sont si grandes et si bien décorées qu'il faut d'abord s'arrêter et s'étonner, avant d'y entrer. On oublie souvent de regarder le petit bassin d'eau fixé dans le mur ou bien sur une petite colonne près de l'entrée. C'est le bénitier. Il contient de l'eau bénite.

C'est aussi avec cette eau qu'on baptise les enfants. Lorsque nous entrons dans l'église, le bénitier nous rappelle le baptême. C'est pourquoi les gens trempent la main dans l'eau et font un signe de croix. Par ce geste ils veulent dire : « Je suis un chrétien baptisé. »

L'eau, l'huile,

l'habit blanc

et le cierge

sont des signes du baptême. Ils signifient :
« Le baptême fait de toi un homme nouveau, un enfant de Dieu. »

De n'importe quelle place dans l'église on voit l'autel. C'est le point central d'une église. Tous doivent pouvoir bien voir l'autel, car c'est là que l'on célèbre la sainte Messe.

A l'autel le prêtre chante et bénit. Pendant la messe il consacre le vin et le pain. On appelle le pain l'hostie. Nous croyons qu'après la consécration ce pain est Jésus Christ lui-même. L'autel est décoré avec une nappe, des fleurs et des cierges. Tout l'espace resplendit de couleurs et de solennité.

L'ourlet de la nappe d'autel est décoré richement. Regarde bien. Tu peux y découvrir le signe ☧. Ce sont les lettres grecques X (prononcée comme CH) et P (prononcé comme R). Il s'agit des deux premières lettres de « Christos ». Il y a très longtemps, parmi les premiers chrétiens, beaucoup parlaient grec. Ce signe remplace le mot « Jésus ».

Beaucoup de cierges et de fleurs se trouvent près du tabernacle. Il ressemble à une petite armoire ou une sorte de coffre avec des portes lourdes et massives.

Si après une messe il reste des hosties consacrées, on les conserve dans le tabernacle dans un ciboire en or.

Une petite lumière rouge placée près du tabernacle doit rappeler que Jésus est vraiment présent dans cette église.

Comme cette lumière brille jour et nuit, on l'appelle la « lumière éternelle ».

Le tabernacle est décoré avec des épis et des grappes de raisin. Avec le blé des épis on cuit le pain. A partir des raisins on produit le vin. Lors de la Messe nous mangeons du pain et les adultes boivent parfois aussi du vin. Par ce pain et ce vin, Jésus notre ami est toujours parmi nous.

Partout dans l'église on trouve des croix. Elles nous font penser à Jésus, à sa mort et à sa résurrection. Car Jésus a été cloué cruellement à la croix et il y est mort.

Mais tous les chrétiens croient, qu'après trois jours, Jésus a été de nouveau réveillé à la vie par Dieu. Dieu s'est engagé pour lui.

Cette croix présente Jésus avec une couronne royale sur la tête. La couronne sur la tête de Jésus signifie : Jésus est bien mort sur la croix, mais il est ressuscité de la mort et vit.

Le cierge pascal rappelle la même vérité. Chaque année on utilise un nouveau cierge pascal. Les lettres écrites sur le cierge s'appellent « Alpha » et « Omega ». Il s'agit de la première et de la dernière lettre de l'alphabet grec. Ces lettres nous disent : « Jésus est le commencement et la fin et il est maintenant chez nous. »

Sur les murs d'une église ou d'une chapelle des images racontent le dernier chemin parcouru par Jésus, le chemin de croix, comment il est condamné injustement, doit porter une lourde croix et meurt sur cette croix.

Les chemins de croix sont très divers : des images d'une seule couleur ou multicolores, des tableaux en bois ou en métal, des figures très anciennes ou tout à fait modernes.

On peut contempler un chemin de croix, on peut aussi le prier.

Chaque image montre une « station » sur le chemin. On peut marcher d'image en image, de station en station, s'arrêter, regarder l'image et prier. D'habitude le chemin de croix comporte quatorze stations.

La dernière station raconte comment Jésus mort est placé dans le tombeau. Mais nous savons que Jésus n'est pas resté mort.

Au-dessus des stations du chemin de croix tu découvres des signes spéciaux, comme des lettres : I ou V ou X.

Il s'agit des chiffres romains utilisés pour numéroter les stations.

Si tu désires en savoir davantage sur la vie de Jésus, tu peux regarder dans la Bible.

Pendant les célébrations on lit également des histoires. Des histoires de Dieu et des hommes et de Jésus. La vie de Jésus a été écrite par quatre auteurs différents : Matthieu, Marc, Luc et Jean. On les appelle les « évangélistes » et leur livres les « évangiles ».

Pendant la célébration la lecture d'un de ces livres se fait à un pupitre, appelé ambon. L'ambon est donc le lieu à partir duquel nous pouvons écouter la parole de Dieu. C'est pourquoi en beaucoup d'églises, l'ambon est décoré.

Ici tu vois les signes qui depuis très longtemps désignent les évangélistes : l'ange pour Matthieu, le lion pour Marc, le taureau pour Luc et l'aigle pour Jean.

Dans l'église, il y a des images et des statues de saints, parfois beaucoup, parfois peu. Les saints et les saintes sont des hommes et des femmes dont nous aimons nous souvenir et qui nous impressionnent beaucoup par leur vie. Ils sont pour nous des modèles. Ils ont essayé de vivre en accord avec leur foi et de s'engager partout et toujours pour Jésus-Christ. C'est cela que nous rappellent les images de saints et de saintes.
Beaucoup d'entre nous portent le nom d'un saint ou d'une sainte, par exemple

Claire, Thomas, Anne, Benoît…

Voici sainte Élisabeth.

Élisabeth était reine de Hongrie. Elle avait beaucoup de compassion pour les pauvres et les malades et elle a fait pour eux tout ce qu'elle pouvait. Sur cette image elle tient dans sa main un panier plein de roses. Cela rappelle un miracle de sa vie. Il en est ainsi pour beaucoup d'images de saints. Ils portent quelque chose dans la main ou sont représentés avec un objet grâce auquel nous pouvons les reconnaître.

Il y a beaucoup de saints. Évidemment on ne peut pas les représenter tous dans une église. Chaque pays, chaque ville, même chaque village a un saint qui y est spécialement vénéré. Mais dans toutes les églises catholiques du monde tu peux trouver Marie, la mère de Jésus.

Souvent on la représente avec l'enfant Jésus dans les bras.

Parfois aussi tu peux trouver une image ou une statue où Marie est représentée avec, sur ses genoux Jésus mort. On appelle une telle représentation : une Pietà.

Souvent de nombreux cierges sont allumés devant les images de Marie.

Les chrétiens aiment la prier car ils croient que Marie les comprend mieux que toute autre personne. Si nous allumons un cierge devant une image de saint ou une statue de Marie, nous voulons ainsi faire penser à nous, à notre prière, à nos demandes, à nos soucis.

Près de l'autel il y a une porte par laquelle sortent les prêtres et les responsables de la célébration. Derrière cette porte se trouve la sacristie. On peut y découvrir beaucoup de choses intéressantes.

Il y a par exemple de grandes armoires dans lesquelles on trouve les chasubles pour les prêtres et aussi les vêtements pour les enfants de chœur. Les chasubles sont souvent bien décorées et sont de couleurs différentes : rouge, vert, violet et blanc. Ces couleurs variées sont portées à différents jours de l'année.

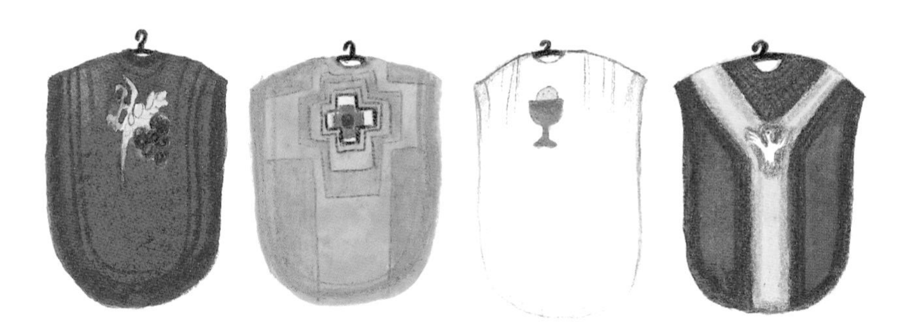

Sur cette chasuble tu vois un poisson. Mais que vient donc faire ce poisson sur une chasuble ? Cela est étonnant, mais ce poisson est un autre signe pour Jésus-Christ. Le poisson est un signe de reconnaissance secret qui vient du temps des premiers chrétiens, il y a bien longtemps. Pour le trouver, ils avaient bien réfléchi : en grec les lettres du mot « poisson » sont aussi les premières lettres des paroles grecques suivantes : « Jésus-Christ, Fils de Dieu, Sauveur ».

A vrai dire pour les chrétiens chaque jour est presque un jour spécial : ou bien nous pensons aux saints, nous célébrons un événement de la vie de Jésus ou de la paroisse, ou bien nous pensons à quelqu'un que nous aimons et qui est mort. Et si c'est la fête d'un saint, on célèbre la fête de celui qui porte son nom. Pour tous les jours, il existe des textes, des prières, des chants. Ces prières et ces chants se trouvent dans le missel. C'est un livre gros et lourd avec beaucoup de rubans de couleurs et de signets.

Tout ce qui est nécessaire pour la célébration est conservé à la sacristie : chasubles, cierges, chandeliers, croix et livres, vin et hosties pour la messe, calices précieux et huiles.

Sur cette burette de baptême tu vois qu'on a représenté une colombe. La colombe est le signe de l'Esprit-Saint et nous fait penser au baptême de Jésus. C'est pourquoi dans les églises, sur les peintures ou sur les murs on trouve souvent cette colombe qui évoque l'Esprit-Saint.

Souvent aux jours de grandes fêtes une odeur spéciale de fumée est répandue dans l'église. C'est l'odeur de l'encens. L'encens vient d'Afrique et de l'Orient et ressemble à des graines jaunes et multicolores. Les graines sont placées dans l'encensoir, une coupe avec de petits charbons ardents. Aussitôt la fumée monte de l'encensoir. Pendant l'office les servants portent et font balancer l'encensoir. Par le balancement les braises deviennent plus chaudes et l'encens brûle mieux.

Dans les temps anciens, on honorait les princes et les rois avec de l'encens. Aujourd'hui nous l'utilisons pour honorer Jésus-Christ.

Existe-t-il des églises sans personne ? Non ! Dans l'église la communauté, les enfants, les adultes, les vieux, les malades et les prêtres, célèbre l'office. Les gens sont assis, à genoux ou debout dans les bancs. Là, ils écoutent les lectures et l'évangile. Là, ils chantent, prient et célèbrent l'office. Il n'y a pas toujours deux rangées de bancs dans la nef de toutes les églises. Mais les bancs sont toujours orientés vers l'autel.

Une église, dans laquelle aucun cierge n'est allumé, semble froide et abandonnée. Une messe pendant laquelle on ne chante pas semble sans vie et un peu ennuyeuse. Les chants tristes peuvent nous consoler. Les chants joyeux font monter l'ambiance et préparent aux fêtes. Les textes des chants parlent de la vie de Jésus, des saints, des soucis, des faiblesses et des besoins des hommes.

La plupart de ces chants existent dans des livres ou sur des feuilles qui sont distribuées avant la célébration.

Jusqu'ici on a l'impression qu'à l'église on célèbre seulement la messe. Mais on y célèbre aussi des baptêmes, on prie pour les défunts, les malades sont consolés et le prêtre écoute les soucis des gens et bien d'autres choses encore. Le prêtre fait cela pour Jésus. Car en réalité c'est Jésus qui nous baptise, nous aide, veut nous consoler, guérit et pardonne par le sacrement de la réconciliation.

Pour la confession il existe, dans un coin de l'église ou de côté dans la nef, un confessionnal et souvent une pièce réservée à un entretien spirituel. Là, les gens disent leurs péchés au prêtre, tout ce qu'ils ont fait de mal, ce qui leur fait de la peine et ce dont ils aimeraient se débarrasser définitivement. La pénitence (confession) aide à retrouver la joie et à se réconcilier avec Dieu et les autres.

Dans les anciennes églises, les confessionnaux ressemblent souvent à des armoires et sont très sombres à l'intérieur. Si on veut voir le prêtre directement et parler avec lui il vaut mieux aller dans une pièce réservée à cet entretien. Dans le confessionnal il n'y a pas beaucoup à voir. Juste une sorte d'écharpe qui pend à un crochet. C'est l'étole du prêtre. Il la met quand il fait quelque chose pour le Christ.

Dans l'église, il y a un instrument de musique puissant : l'orgue. On en joue à tous les offices, aux occasions solennelles ou tristes. Dans beaucoup d'églises l'orgue se trouve sur une tribune au-dessus de l'entrée. Parfois on ne peut voir les grands tuyaux des orgues que lorsqu'on est dans la nef de l'église et que l'on se retourne pour regarder vers le portail. Un orgue est composé de nombreux tuyaux. Les tuyaux, grands et hauts, donnent des sons graves. Les petits tuyaux donnent des sons aigus. Comme sur un piano on trouve des touches noires et blanches, mais aussi des grandes touches (pédales) pour les pieds. Car on joue de l'orgue aussi avec les pieds.
Un orgue peut reproduire de multiples résonances. Cette multiplicité de tons et de résonances s'accorde bien avec la variété des offices qui sont célébrés dans l'église.

Nous voici arrivés au bout de notre visite de l'église. Il serait bien que tu observes encore une fois exactement ton église avec tes parents, tes grand-parents, tes frères et sœurs ou tes amis. Chaque église est différente. Mais chaque fois que tu rentres dans l'une d'entre elles, tu peux retrouver presque tous les objets dont parle ce livre. Prends un peu de temps et regarde simplement autour de toi.

Et si tu le désires, tu peux également prier :

Seigneur Dieu,
tu nous aimes, hommes, femmes et enfants
et tu voudrais que nous soyons heureux.
Nous venons dans cette église pour être près de toi :
Nous voudrions te dire tout ce qui nous rend tristes
et tout ce qui nous rend heureux.
Nous te prions :
Donne-nous la force de vivre comme tes enfants.
Offre-nous la santé, afin que
nous puissions jouer chaque jour et découvrir le monde.
Donne-nous ton amour
pour rendre les autres heureux et leur parler de toi.
Aide tous les êtres humains à s'aimer
et à trouver la joie avec toi.
Amen.

Contenu :

Éditeur :
Éditions du Signe
1, rue Alfred Kastler
B.P. 94 – Eckbolsheim
F 67038 Strasbourg Cedex
e-mail : info@editionsdusigne.fr
Tél. : 0033 (0)3 88 78 91 91
Fax : 0033 (0)3 88 78 91 99

Textes : Sabine Herholz
Traduction : Albert Hari

Illustrations et maquette : Martina Špinková

Dépôts légal 1er trimestre 2001
ISBN : 2-7468-0356-9

Titre original : Wir schauen uns um in Gottes Haus

Imprimé en Tchéquie

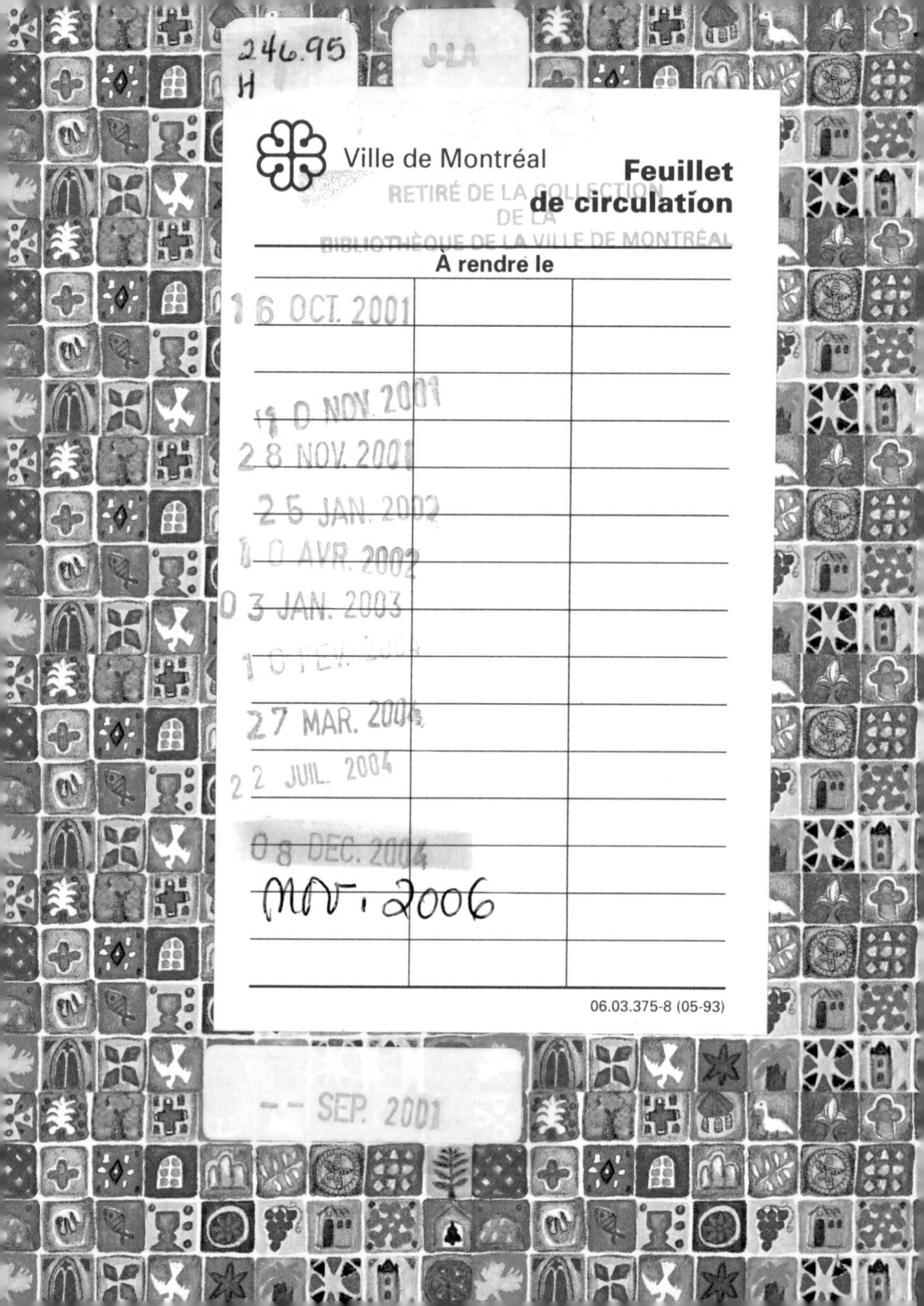